Aldo

Pour Sonja

ISBN 978-2-211-21135-2
Première édition dans la collection *lutin poche* : février 2013
© 2010, l'école des loisirs, Paris
Loi numéro 49956 du 16 juillet 1949 sur les publications
destinées à la jeunesse : avril 2010
Dépôt légal : février 2013
Imprimé en France par Clerc SAS à Saint-Amand-Montrond

Magali Bonniol

Aldo

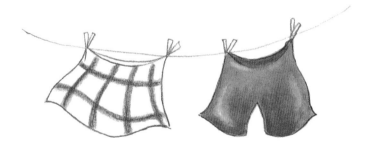

lutin poche de l'école des loisirs
11, rue de Sèvres, Paris 6^e

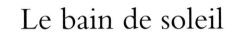

Le bain de soleil

Aujourd'hui, il fait beau.
«Je vais prendre un bain de soleil», se dit Aldo.

«Il n'y a rien de mieux!»
Il met son maillot et n'oublie pas sa serviette : le voilà prêt !

Pour prendre un bain de soleil, il faut trouver un endroit tranquille :
sur cette belle pierre, par exemple.

Aldo est confortablement installé, quand soudain…

«Aïe ! Quelqu'un m'a pincé la queue ! C'est une fourmi !»

«Tu es sur notre passage! Mets ta serviette ailleurs!»

«Bon», se dit Aldo, «dans cette clairière, au moins, il n'y a pas de fourmis.»

« Mais qui soulève ma serviette ? »

«C'est moi», dit madame Taupe. «Vous êtes devant ma porte!»

Finalement, Aldo trouve une jolie plage au bord de la mare.
Il regarde partout : ni fourmis ni terrier, c'est parfait !

Mais tout à coup… VROOOUM ! Qui passe à toute allure au-dessus de sa tête ?
« Laissez passer, je suis pressée ! » C'est Lulle, la libellule.

Aldo ramasse sa serviette :
de toute façon, son bain de soleil est gâché, et la nuit tombe.

«Salut, Aldo!»

«Salut, Josette! Que fais-tu là?»

«Je prends un bain de lune, tu viens?»

«Volontiers», dit Aldo.
«Les bains de lune, il n'y a rien de mieux!»

La tarte aux groseilles

«Je vais faire une tarte aux groseilles pour Josette», se dit Aldo.
«Ce sera une surprise!»

Pour aller à la cueillette des groseilles,
il faut un panier… et beaucoup de patience !

Les groseilles sont difficiles à cueillir :

Hé, ça tombe !

Zut, ça roule !

Enfin, Aldo a son panier plein. Miam, les groseilles sont si parfumées !
Aldo en goûte une, pour voir.
Mmmmm ! C'est délicieux : encore une, et une autre !

Sur le chemin, il y a une petite souris qui pleure.
«Tiens», lui dit Aldo pour la consoler, «je te donne une groseille bien juteuse!»
La petite souris sèche ses larmes.

Un peu plus loin, Aldo croise Papa escargot.
«Les belles groseilles!» s'écrie son fiston.
«Goûtes-en une!» dit Aldo.

«Et nous, et nous?»
demandent les autres enfants de Papa escargot.

Et finalement, il ne reste plus qu'une groseille dans le panier d'Aldo.
« Ce n'est pas assez pour faire une tarte… », se dit-il tristement.

En passant devant la maison de Josette, Aldo renifle une odeur délicieuse.

«Hé, Aldo!» lance Josette de la fenêtre.

«N'est-ce pas une groseille que tu as dans ton panier?

C'est formidable, parce que j'ai fait un gâteau de mouches !

Et le gâteau de mouches, c'est encore plus délicieux avec une groseille dessus! »

La promenade

«Je vais proposer une promenade à Josette», se dit Aldo.

«Me promener avec quelqu'un que j'aime, c'est ce que je préfère. »

« Ensemble, nous irons jusqu'à la petite mare.

Puis nous grimperons au sommet de la motte.

Et nous passerons près du noisetier, pour ramasser des noisettes ! »

« Tiens, Josette n'est pas chez elle.

Ce sont ses traces, sur le chemin : en les suivant, je la trouverai sûrement ! »

Là, Josette s'est arrêtée pour cueillir des mûres.

Et elle a pris un bain dans la mare !

Ses traces mènent au sommet de la motte : tiens, elle est descendue en roulade.

Les traces continuent jusqu'au noisetier, mais il n'y a plus de noisettes :
«Elle a tout ramassé», se dit Aldo. «Elle s'est amusée toute la journée sans moi!»

La pluie se met à tomber : on ne voit plus les traces de Josette…
Le cœur gros, Aldo rentre chez lui. Mais… il y a de la lumière dans sa maison !

Quelqu'un a allumé le feu, et a posé des noisettes fraîches sur la table.
Puis quelqu'un est entré dans la salle de bains.

«Salut!» dit Josette.
«Je t'attendais pour prendre un bain de mousse!»

«Manger des noisettes dans un bain de mousse
avec quelqu'un que j'aime, c'est ce que je préfère!» dit Aldo.